Disney PRÉSENTE UN FILM

Le GRAND chef

© 2007 Disney Enterprises, Inc./Pixar.

Tous droits réservés aux niveaux international et panaméricain, selon la convention des droits d'auteurs aux États-Unis, par Random House Inc., New York et simultanément au Canada, par Random House du Canada Limité, Toronto, concurremment avec Disney Enterprises Inc.

Paru sous le titre original de : *The Big Cheese*

Ce livre est une production de Random House Inc.

Publié par PRESSES AVENTURE, une division de
LES PUBLICATIONS MODUS VIVENDI INC.
55, rue Jean-Talon Ouest, 2ᵉ étage
Montréal (Québec)
Canada H2R 2W8

Dépôt légal - Bibliothèque et Archives nationales du Québec, 2007
Dépôt légal - Bibliothèque et Archives Canada, 2007

Traduit de l'anglais par : Germaine Adolphe

ISBN-13 : 978-2-89543-604-1

Nous reconnaissons l'aide financière du gouvernement du Canada par l'entremise du Programme d'aide au développement de l'industrie de l'édition (PADIÉ) pour nos activités d'édition.

Gouvernement du Québec — Programme de crédit d'impôt pour l'édition de livres — Gestion SODEC

Le GRAND chef

Par Apple Jordan

Illustré par The Disney Storybook Artists

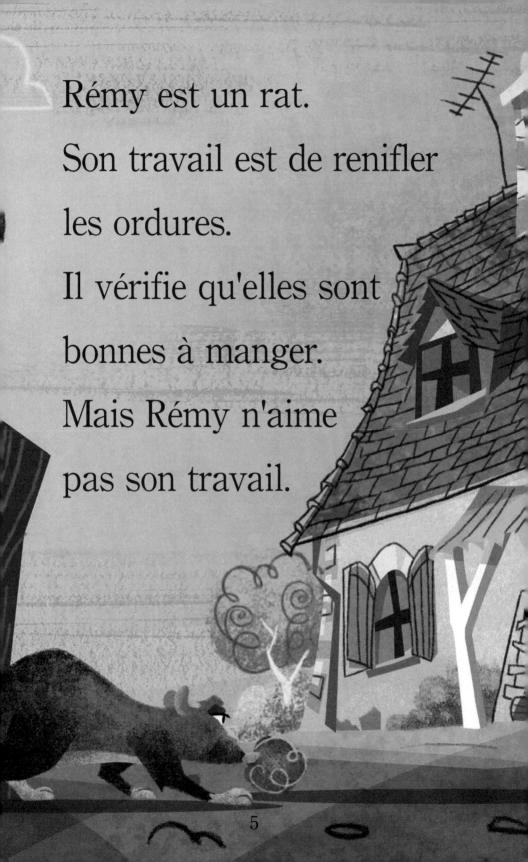

Rémy est un rat.
Son travail est de renifler
les ordures.
Il vérifie qu'elles sont
bonnes à manger.
Mais Rémy n'aime
pas son travail.

Rémy est différent
des autres rats.
Il n'aime pas
les ordures.

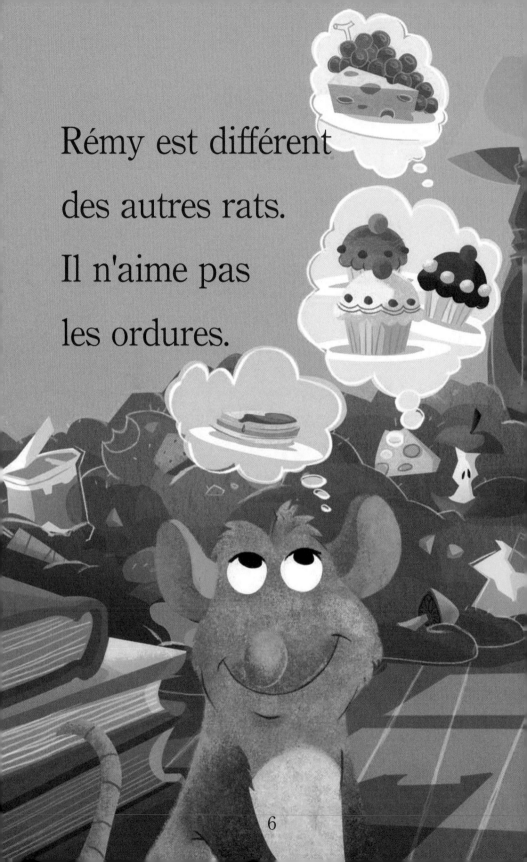

Il préfère la bonne cuisine.

Il veut devenir chef cuisinier.

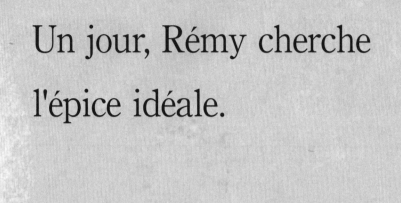

Un jour, Rémy cherche
l'épice idéale.

Il se faufile dans
une cuisine.

La vieille dame qui habite

là se réveille.

Elle chasse Rémy et les autres rats.

Mais Rémy revient aussitôt.

Il emporte le livre de cuisine.

Les rats prennent la fuite.

Mais Rémy se fait distancer.

Rémy tente de rattraper
les rats.

Mais il n'y parvient pas.

Il se retrouve tout seul.

Rémy arrive à Paris.

Il voit un grand restaurant.

Rémy regarde à
l'intérieur du restaurant.
Un garçon nommé Linguini
prépare une soupe.
Rémy sait que la soupe
sera ratée.

Rémy tombe dans la cuisine.

Rémy doit sortir de là.

Mais d'abord, il améliore
la soupe.

Le chef aperçoit Rémy.
Il dit à Linguini de s'en
débarrasser.

Mais Linguini sait que grâce
à Rémy il a réussi la soupe.

Il demande donc à Rémy
de l'aider en cuisine.

Rémy et Linguini

cuisinent ensemble.

Ils forment une
équipe parfaite !

Un jour, Rémy retrouve sa famille.

Elle souhaite que Rémy revienne.

Mais Rémy veut cuisiner

avec Linguini.

Tout le monde croit que
Linguini est un grand chef.
Mais le <u>vrai</u> chef, c'est Rémy !

Un jour, Rémy et
Linguini se disputent.
Linguini demande à
Rémy de partir.

Mais Ego, le critique
gastronomique, vient
au restaurant.

Rémy doit aider son ami.

Il cuisine un excellent repas.

Ego demande à rencontrer le chef.

Ego est stupéfait.

Le meilleur chef de France est un rat !

Rémy et Linguini ouvrent
un restaurant ensemble.
Les rats peuvent eux aussi
aller y prendre un repas !

Rémy est heureux.

Enfin, il est un grand chef !